海底小纵队

漫画故事

万达儿童文化发展有限公司 著 天代出版 编

螃蟹海胆吵不停

时代出版传媒股份有限公司
安徽少年儿童出版社

目录

海底小纵队
与螃蟹海胆

章鱼堡的深夜。

咚咚！

咚咚咚！

巴克队长和呱唧都跑来开门。

哎哟！

撞！

是谁在敲门？

我去看看，再告诉你。

为什么我不能去？

看谁先到！

走着瞧！

啪嗒！

啪嗒！

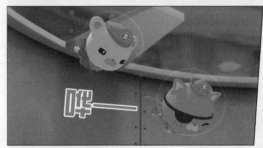

哗——

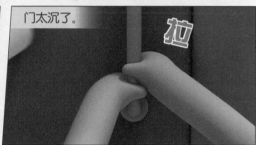

门太沉了。

拉

我帮你。

他们左看右看。

奇怪，门外没有人啊……

砰！

什么情况？

咚咚咚！

我在这儿呢！

2

原来是一只海蜗牛！

你好，有什么麻烦吗？

有一只半螃蟹半海胆的怪物，吵得我们睡不着。

你们能让他别吵了吗？

我来处理。呱唧，你回去继续睡吧。

回去？海盗最喜欢深夜探险了！

好吧，我们一起去。

呱唧，启动章鱼警报，仅限发射台区域！

是，巴克队长！

3

好困。

海蜗牛需要帮助，我们要去珊瑚礁那边。

哈欠——好的，队长。

呱唧跑在了前面！

嘿！

珊瑚礁见！

我肯定比你快，哈哈！

不可能！

出发！

嗖——

啊？

你怎么这么快？

我开得快，而且走了近路。

好了，带路吧！

在那块岩石旁。

下方传来越来越大的争吵声。

重点是，总是我保护你！

我……我听不出重点。

哇，确实一半是海胆一半是螃蟹。

可是我给你找食物！

我们打给谢灵通，问他有没有见过这种生物。

电话接通了。

喂？

快看看这个，这是什么怪东西？

好困呀。

这是两种不同的生物：一只螃蟹，壳上粘了一只海胆。

但是他们为什么要粘在一起？

海胆需要螃蟹提供的食物，而螃蟹需要海胆的保护。

好的，谢谢你。再见。

因为共生关系，两种生物彼此互利地生存在一起，缺此失彼便不能生存。

再见。

嘿哟——

海胆使劲儿挣脱……

我自由了，哈哈哈！

不对，是我自由了，哈哈！

分道扬镳

终于安静了，谢谢你们，海底小纵队。

睡个好觉，小海蜗牛。

你们俩分开后没问题吧？

能把我带到礁石那边吗？

队长，我来带他去吧。

我根本不需要他，自己过挺好！

喂，离我的地盘远点儿！

凶！

你得先问问我的刺头朋友。

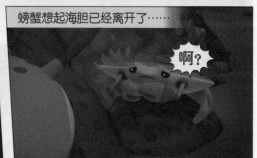

螃蟹想起海胆已经离开了……

啊？

凶！

呀！

逃走

你一个人真的没事吗？

一点儿也不好。以前我看上去很吓人，可是现在……

我可以教你保护自己。

这块石头看起来不错，伙计。

另一边……

哇，太挤了！我在这儿可吃不饱。

那里怎么样？

开玩笑，太小了，再找找吧！

你要让自己看上去身强力壮。吼！

好吧，我再找找。

螃蟹努力装得很勇猛……

吼！

11

可是，螃蟹一不小心……

唉，不太妙。

我跟螃蟹在一起时，他会给我吃的，你有零食吗？

没有。

开什么玩笑，那现在怎么办？

走吧，我们去找巴克队长。

我知道有个人肯定有办法。

举起你的钳子，然后大吼一声。

这个我不太行啊！

泪丧

我觉得呱唧能教你。

来吧，我们去找他。

咚！

哎哟！

嗖！

螃蟹和海胆从两人手中飞了出去。

你回来了？真想你啊！

啪！

那么，你们还是想待在一起？

我也是！

没错！我才发现我有多需要他。

高兴

谢谢你们，海底小纵队，回见！

呀！

凶

呀吼！

更凶

哇，救命啊！

逃

看，队长，他俩还是在一起更好。

看谁先回到章鱼堡！

这就是共生。我们回去吧。

来吧！

海底报告

螃蟹 背上有一只 **海胆**，

他们的关系不一般！

食物他们一人分一半，

海胆保护螃蟹不被侵犯。

他们是互相帮助的好朋友，

共生就是相互依靠不分散！

没错！

明白！

是的！

海底小纵队

与饥饿的引水鱼

章鱼堡。

今天的任务是在这片礁石区域搜寻鲨鱼。

我想近距离研究他们!

但也不要太近,鲨鱼非常危险。

就是因为危险,我才特别想去……

清洁舰艇!

值日表。

呱唧，轮到你清洁舰艇啦!

什么?

惊!

队长，有什么好着急的，舰艇还没那么脏吧?

舰艇外面到处都是脏东西……

这样是无法正常运行的。

脏兮兮

好吧好吧，我会清理干净的。

出发啦!

唉，我开始工作吧!

不想打扫。

咕噜咕噜！
咕噜咕噜！

小萝卜邀请呱唧一起打乒乓球。

嘿嘿，我先打一局乒乓球再说吧！

礁石区域。

看，有一条引水鱼。

咱们往礁石下边移动一点儿吧！

但是还没看到鲨鱼。

探头探脑

啊呜啊呜……

舰艇开走了，引水鱼不舍地离去。

你赢了，打得不错，呱唧。

好厉害！

唉，我该回去清洁舰艇了。

要不再来一局？你们一起上！

你输定了！

灯笼鱼艇行驶中……

惊！

鲨鱼出现了！

庞然大物

快看窗户那边！

是一条鲨······鲨······

一条巨大的白鳍鲨！

看他鳍上的白边，哦，还有那些牙齿。

他该刷牙啦！

啊呜！

啊，他要干什么？

惊！

我觉得他想咬咱们的舰艇。

坐稳了，队员们！

逃！

追！

灯笼鱼艇又路过礁石。

咦！

啊呜啊呜……

章鱼堡内。

小心，我要扣球了！

哈哈！

鲨鱼游过。

啊！

灯笼鱼艇正在追鲨鱼呢！

不，是鲨鱼在追它！

追赶

啊！

鲨鱼紧追不舍。

我们好像甩不掉他。

我们需要帮忙。突突兔，开启章鱼堡舱门！

皮医生，启动章鱼警报！

收到，队长！

咔！

嗖！

砰！

海底小纵队，干得漂亮！

我在想，那条鲨鱼为什么会追咱们呢？

可能灯笼鱼艇看上去像一顿美餐吧，伙计。

对了，呱唧，舰艇打扫得怎么样了？

不可能的，鲨鱼是不会吃舰艇的。

呃，队长，我还没开始……

我这就去干活！

呱唧不敢相信自己的眼睛！

一尘不染！

哇！谁把灯笼鱼艇打扫得这么干净？

是我呀！

你好……你是怎么进来的？

我跟着舰艇进来的。好饿，我还想吃！

对啊，我是引水鱼呀。我觅食就是找到脏东西，把它们吃掉。

你是说……你喜欢打扫？

边吃边清洁，
边清洁边吃！

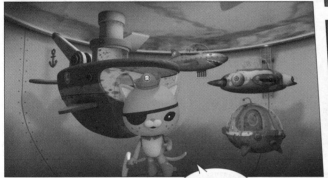

啊呜啊呜……

那就来享用
大餐吧！

太厉害了！

真干净！

真好吃！

高兴

干得好，呱唧，
舰艇从来没这么
干净过！

好悠闲

既然要做，就要
做到最好嘛。

我的老天爷，那不是很危险吗？

才不是呢，引水鱼和鲨鱼总是互相帮助。

如果我能找到一条鲨鱼就好了。

我帮鲨鱼清洁牙齿，鲨鱼把想吃我的天敌都吓跑。

我们见过一条牙齿很脏的鲨鱼。

期待

太好了！还能找到他吗？

我想能找到。

皮医生、呱唧，我们一起帮他去找刚才那条白鳍鲨。

灯笼鱼艇在水中前行。

给鲨鱼做清洁，可比打扫舰艇刺激多啦！

快看！他、他就在前面！

他的牙齿还是很脏。

鲨鱼咬住了舰艇。

咔！

啊哈哈，吃，打扫！打扫，吃！

嘴好大！

啊！

张大嘴，伙计！

开始打扫！

舒服极了，你真是帮我清洁牙齿的最佳人选！

嘿嘿嘿，荣幸之至！

原来鲨鱼把舰艇当成牙刷了！不过现在他有专属牙刷了。

我也有专属的鲨鱼保护我啦！谢谢你们，海底小纵队。

再见，引水鱼！

我会想念他的，下次只能我自己打扫舰艇了。

我会帮你的。边打扫边吃，边吃边打扫！

海底报告

引水鱼 爱干净,

吃脏东西很高兴!

跟着 **鲨鱼** 海里游,

不让污物四处留。

鲨鱼刷牙的助手,

引水鱼、鲨鱼,

一对好朋友!

没错!

明白!

是的!

海底小纵队
与联合大行动

蹑手蹑脚

撞！

哎哟！

嘘！

呱唧，这样真的能行吗？

我来驾驶虎鲨艇，你驾驶魔鬼鱼艇。

出发吧！

马上就来了，呃，我看一下，按这个。

呱唧率先开出章鱼堡。

谢灵通呢？快跟上！

哈哈，不错嘛！你开得还挺像一个真正的海盗呢！

记住，仔细看，严格按照我的动作做。

呀呱！

我的妈呀，这太夸张了！

该你了，双手握紧方向盘，动作一定要特别快。

啊啊啊！

谢灵通驾驶的魔鬼鱼艇失控了，翻了过去。

这可不是我教的，你再试一次吧。这回可要完全按照我的示范操作。

哐！

不好，前面有礁石，要撞上了！

呱唧一个急刹，哐当一声落到海底。

完全按照呱唧的示范操作。

啊！哎！

哐哐！

我做到和你一模一样了！

太棒了，搞定了！

谢谢，我叫默里，你们是谁？

我是谢灵通。

我是呱唧。

现在把这个零件装回原处吧。

你们三更半夜在这礁石上干什么啊？

啊，我们出了点儿小意外。

舰艇上的一些零件丢了，我们得找到它们。

你们究竟丢失了多少零件？

问得好，我们得列个清单。

清单

哇，可真不少啊！

这儿有很多死角和缝隙，东西掉进去就很难找到了。

你们想在这里找东西，得在正确的时间找到正确的鱼。

我们每个死角都得仔细找一下。

遇上我你们很幸运，我给你们介绍几个好朋友。

我们认识的唯一一条鱼就是你啊！

一群石斑鱼游了过来。

斑哥，能帮我这两位朋友找一些零件吗？

我们晚上出来是为了觅食，没找过零件啊！

你身上有没有带鱼饼干？

什么？哦，带着呢！

我们这儿有吃的！

真好吃！

这哥们儿真热心啊！

还有吗？

还有很多呢，帮我们找到零件就全送给你们。

哦，那就一言为定了。

高兴

我们视力不好，所以斑哥他们负责寻找食物。

但有的东西藏在很窄的石头缝里，我们够不到。

我们就会这样给海鳝发信号。

石斑鱼身体倒立过来。

然后就该我们大显身手了。

石斑鱼负责找零件，海鳝钻到缝隙里取出零件。

呱唧负责安装。

找到的零件都交给我吧！

就差胡萝卜发射器上的弹簧圈了。

少了那个可不行！

我看到弹簧圈了。

但是那地方我们都不敢去。

你说的难道是蜇人礁石？

是的。那个地方太可怕了！

蜇人礁石是什么？

已经松动了，出来了！

呱唧往外一拉，弹簧圈飞出去了！

嘿！

接住！

弹簧圈向扇贝飞去，谢灵通一跃而起……

成功了！

多谢啦，默里、斑哥。

这才是真正的合作啊！

伙计们，你们可真有两下子！

咱们赶紧修好舰艇，在天亮前赶回章鱼堡吧。

联合大行动圆满成功了。

能和二位合作我们深感荣幸。

是突突兔！

呱唧和谢灵通回到章鱼堡。

早啊，谢灵通！

突突兔，你起得真早啊，嘿嘿。

看来是场深夜小探险嘛。

没错，完好无损，连个划痕都没……

你看，舰艇还跟新的一样呢。

是吗？不过你的方向盘好像有点儿松呀。

胡萝卜发射器坏了！

嘤嘤嘤！

胡萝卜误启章鱼警报！

啪！

海底小纵队集合！

呃，这是怎么回事？

别担心，我们马上修好，快到你都来不及说完……

拔呀拔呀拔萝卜！

哈哈！

海底报告

海鳝 嘴巴张得大，

常在缝隙中安家。

石斑鱼 呀四处游，

发现目标头朝下。

海鳝、石斑鱼合作，

一起去捕食，

团结力量大！

没错！

明白！

是的！